La dispute

Emmanuelle Massonaud

hachette
ÉDUCATION

Avec Sami et Julie, lire est un plaisir !

Avant de lire l'histoire

- Parlez ensemble du titre et de l'illustration en couverture, afin de préparer la compréhension globale de l'histoire.
- Vous pouvez, dans un premier temps, lire l'histoire en entier à votre enfant, pour qu'ensuite il la lise seul.
- Si besoin, proposez les activités de préparation à la lecture aux pages 4 et 5. Elles permettront de déchiffrer les mots les plus difficiles.

Après avoir lu l'histoire

- Parlez ensemble de l'histoire en posant les questions de la page 30 : « As-tu bien compris l'histoire ? »
- Vous pouvez aussi parler ensemble de ses réactions, de son avis, en vous appuyant sur les questions de la page 31 : « Et toi, qu'en penses-tu ? »

Bonne lecture !

Couverture : Mélissa Chalot
Maquette intérieure : Mélissa Chalot
Mise en pages : Typo-Virgule
Illustrations : Thérèse Bonté
Édition : Emmanuelle Saint

ISBN : 978-2-01-290400-2
© Hachette Livre 2017.

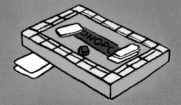

Les personnages de l'histoire

1️⃣ Montre le dessin quand tu entends le son (o)
comme dans vélo.

2️⃣ Montre le dessin quand tu entends le son (a)
comme dans Sami.

3️⃣ Lis ces syllabes.

| prê | per | ré | bo | prè | plu |

| ver | dis | par | ly | lar | ble | pia |

4 Lis ces mots-outils.

la et je est lui n'es

mon vers un tes c'est après

5 Lis les mots de l'histoire.

une moto   une tablette   des dominos

un film   un pirate   des amis

La partie de dominos

est finie. Tom a perdu.

Sami dit :

– Je suis le plus fort !

Tom, tu me donnes

ta moto !

Tom hurle.

Sami est surpris.

8

Sami tire la moto vers lui.

Tom se rebiffe. Paf,

le bolide est abîmé !

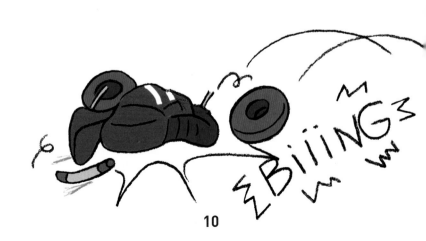

11

– Idiot ! Tu as saboté ma moto ! Tu n'es plus mon ami ! hurle Tom.

Sami part.

Une petite larme

luit...

Le samedi d'après,

Léo dit à Sami :

– Un film de pirates ?

Une partie de Monopoly ?

Bof ! Sami n'arrive pas

à rire.

19

Léo a une idée.

Il dit à Sami :

– Tom adore ma tablette.

Prête-la-lui, et la dispute

sera finie.

C'est parti !

Sami file.

Tom pianote : do, la, si,
do ; do, la, si, do...
Tom n'arrive pas à rire.

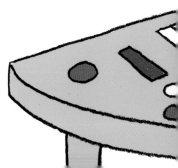

Sami frappe à la porte de Tom.

Sami appelle : « Tom ! »

Sami prête la tablette à Tom… Tom est ravi !

Vive Léo, tu as réussi :

la dispute est finie.

Les 3 amis réunis rient !

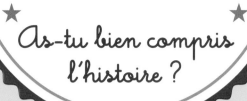

As-tu bien compris l'histoire ?

1 Qui a perdu la partie de dominos ?

2 Quel jouet Sami réclame-t-il à Tom ?

3 Quand Sami part de chez Tom, comment se sent-il ?

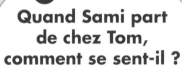

4 Que prête Sami à Tom pour se réconcilier ?

5 Quelle est la réaction de Tom quand Sami lui prête la tablette ?

Et toi, qu'en penses-tu ?

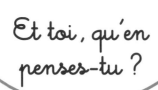

Connais-tu le jeu de dominos ?

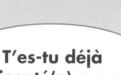

T'es-tu déjà disputé(e) avec un(e) ami(e) ?

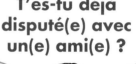

Comment s'appellent tes ami(e)s ?

Quel(s) genre(s) de films aimes-tu ?

À quel(s) jeu(x) aimes-tu jouer avec tes ami(e)s ?

Lire pas à pas
avec Sami et Julie

Début de CP

Niveau 1

a e i o u y é/è/ê
b d f l m n p r s t v
et/est un/une

Milieu de CP

Niveau 2

c/k/qu ch h ph
z/s=z ce/ci
ou/on an/en oi/oin
in ei/ai eu/œu
les/des/mes/tes/ses
g/j ge/gi gn gu
er/ier/ez/et

Fin de CP

Niveau 3

ef/er/ec/ep/es
ill/aill/eill/euill/ouill x y w
sp/st/sc ion/ien
au/eau ain/ein ti=si

Achevé d'imprimer en Espagne
par UNIGRAF
Depôt légal : Octobre 2017
Collection nº 12 - Édition 02
68/4141/1